© Editions Exley sa 1994
13, rue de Genval - B-1301 Bierges
5, rue du Louvre - F-75001 Paris

isbn 2-87388-013-9
D/1994/7003/15

© Edition originale Exley Publications Ltd 1989
16, Chalkhill, Watford, Herts, WD1 4BN,
United Kingdom

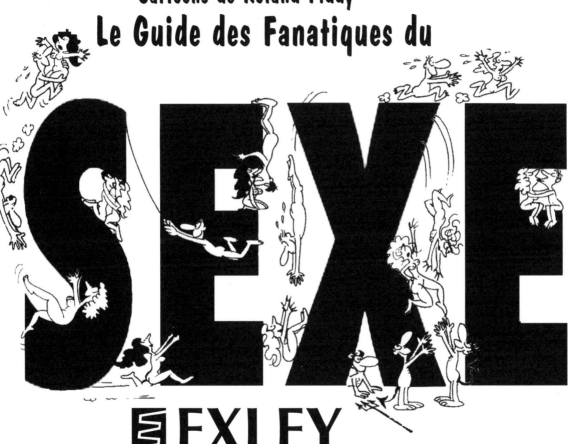

Cartoons de Roland Fiddy

Le Guide des Fanatiques du

SEXE

EXLEY

Paris   Londres

Roland Fiddy

Roland Fiddy

Roland Fiddy, cartoonist.
Né à Plymouth, Devon. Etudes d'art
aux académies de Plymouth et de Bristol.
Travail comme cartoonist free-lance et
illustrateur. Cartoons publiés en
Angleterre, aux Etats-Unis et
beaucoup d'autre pays.
A participé depuis 1984 à des festivals
internationaux de cartoons et a gagné
les prix suivants :

1984 Prix spécial, Yomiuri Shimbun, Tokyo.
1984 Premier prix, Beringen International
Cartoon Exhibition, Belgique.
1984 Prix du public, Netherlands Cartoon
Festival.
1985 Premier prix, Netherlands Cartoon
Festival.
1985 "Silver Hat" (deuxième prix) Knokke-Heist
International Cartoon Festival, Belgique.

1986 Premier prix, Beringen International
Cartoon Exhibition, Belgique.
1986 Premier prix, Netherlands Cartoon Festival.
1986 Premier prix, Sofia Cartoon Exhibition,
Bulgarie.
1987 Deuxième prix, World Cartoon Gallery,
Skopje, Yougoslavie..
1987 "Prix Casino" Knokke-Heist International
Cartoon Festival, Belgique.
1987 Prix UNESCO, Gabrovo International
Cartoon Biennial, Bulgarie.
1987 Premier prix, Piracicaba International
Humour Exhibition, Brésil.
1988 Prix "Golden Date", International Salon
of Humour, Bordighera, Italie.
1988 Deuxième prix, Berol Cartoon Awards,
Londres, Angleterre.
1989 Prix C.E.E., European Cartoon
Exhibition, Kruishoutem, Belgique.
1989 Prix de la presse, Gabrovo International
Cartoon Biennial, Bulgarie.
1990 Premier prix, Knokke-Heist International
Cartoon Festival, Belgique.
1991 Prix d'Excellence, Yomiuri Shimbun,
Tokyo.

Fanas chez eux.

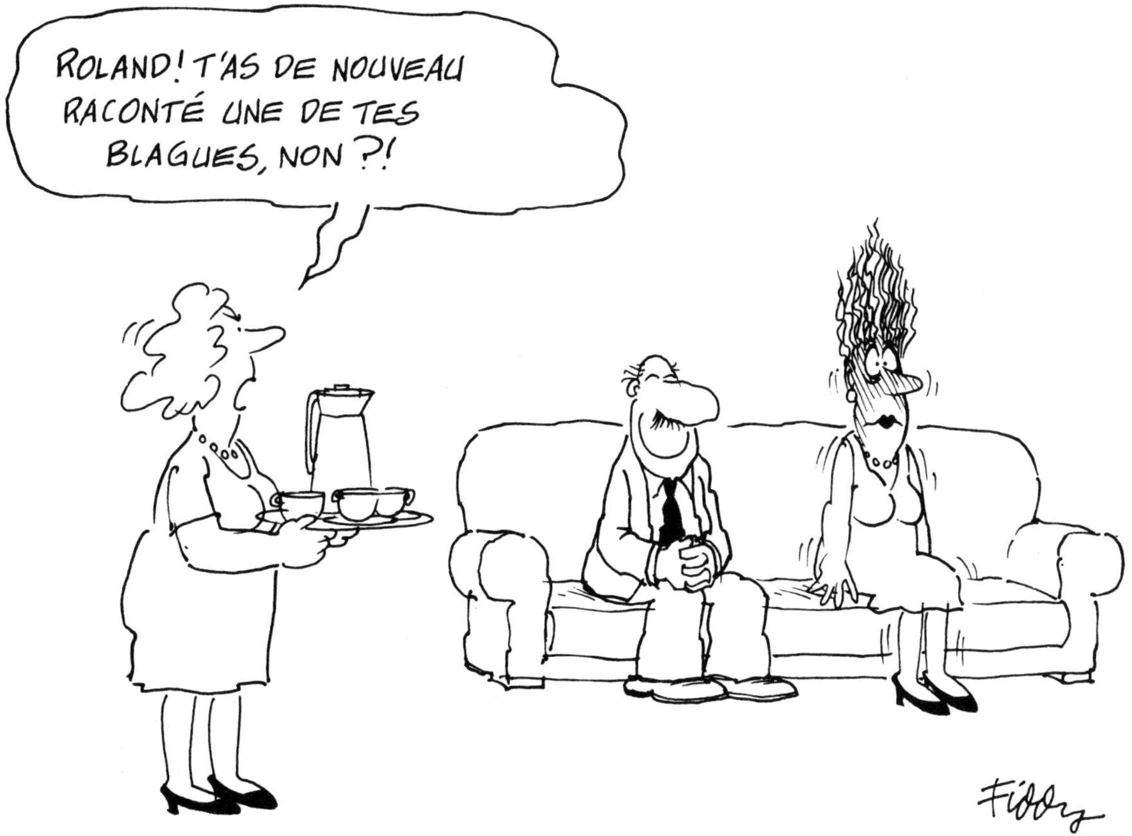
ROLAND! T'AS DE NOUVEAU RACONTÉ UNE DE TES BLAGUES, NON ?!
Fiddy

1

2

3

4

1

2

3

4

5

6

1

1

2

Fanas infidèles.

3

4

5

RÉDACTION "NOUVELLES DU MONDE" ?

1

Fanas historiques.

PSST!

2

SS
SS
SS
SS

5

6

Roland Fiddy

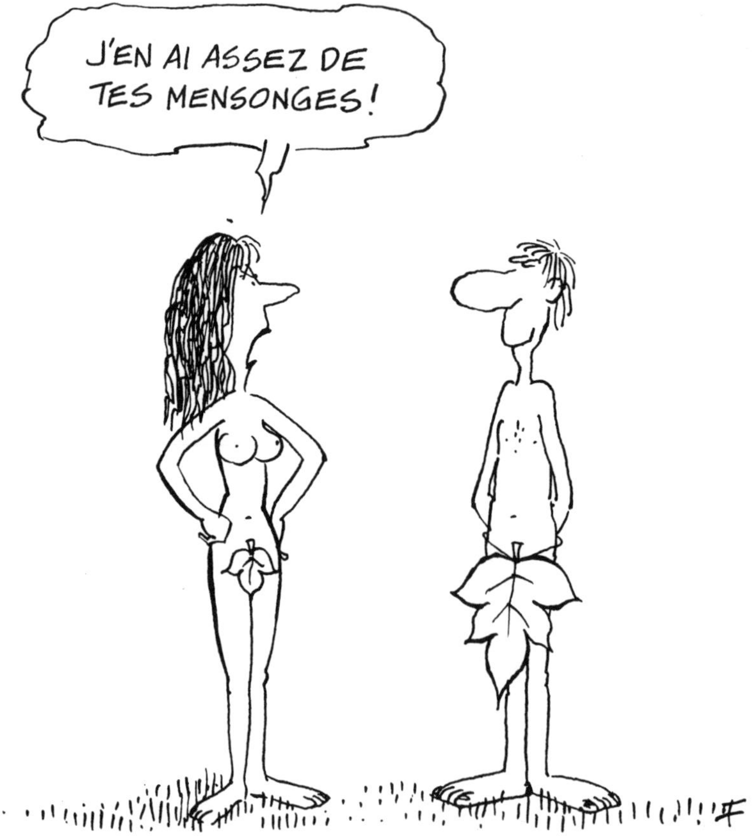
J'EN AI ASSEZ DE TES MENSONGES !

1

2

3

2

Quelques exhibitionnistes.

Fanas dans l'art.

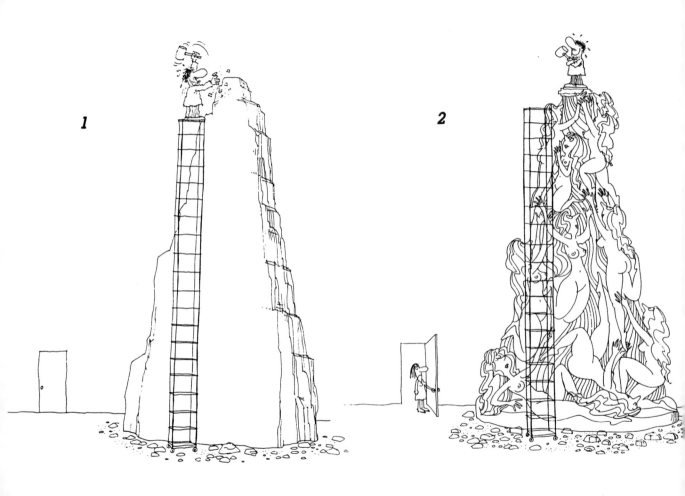

3

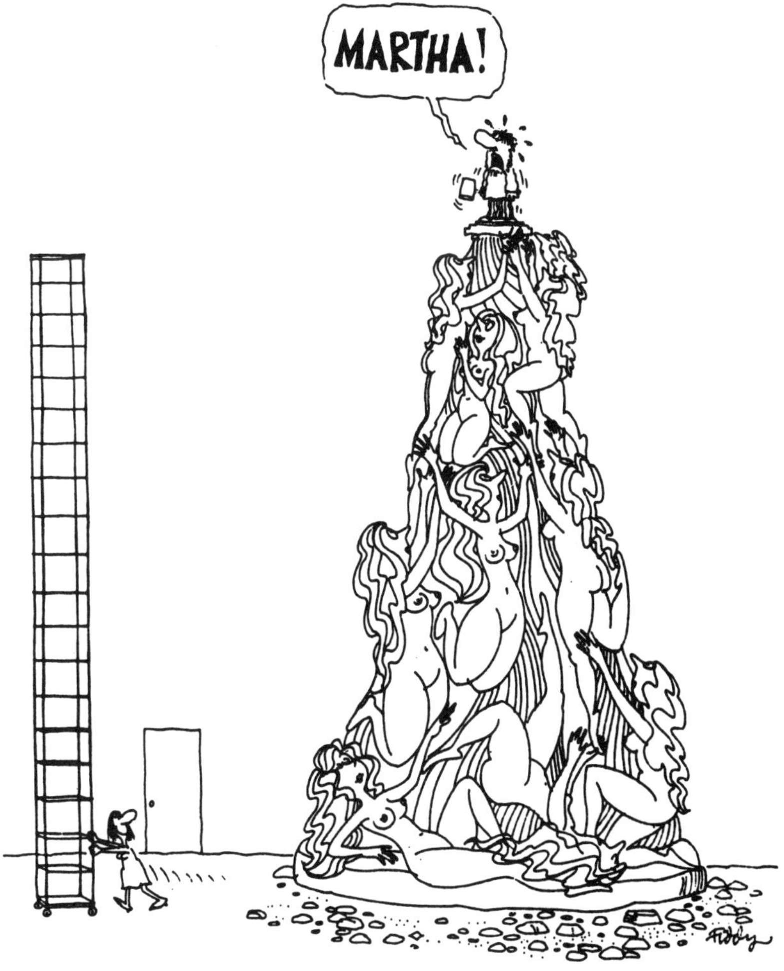

Quelques fanas extraordinaires.

1

2

1

2

1

2

3

Les fanas d'en haut.

2